El grito

Por la maestra
Díaz de Mitote

De la escuela
Fiestas Patrias

Rimas **Alonso Núñez** ⌘ Ilustraciones **Josel**

1810

Colección
La saltapared

¿Qué es el grito, Miguelito?

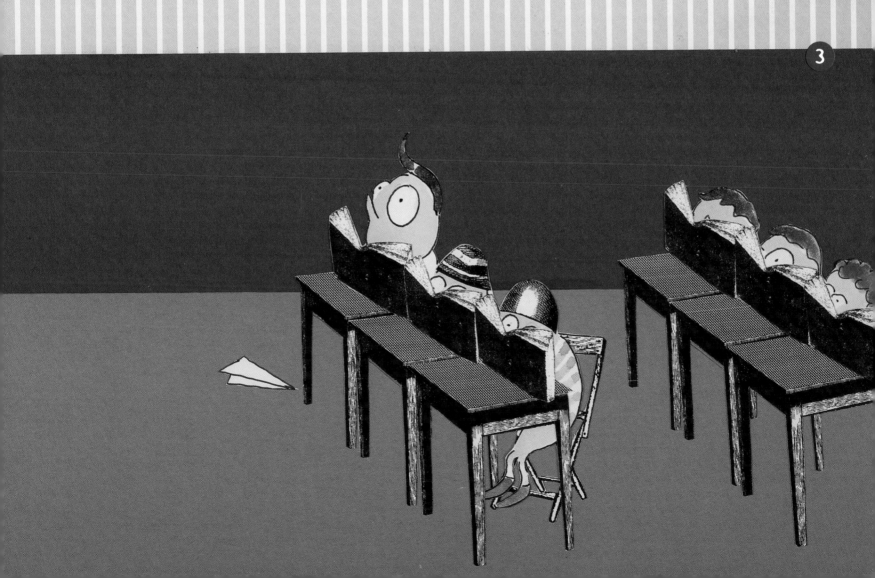

Es echar un ¡AY! de alerta
con la boca bien abierta.

AY

No, chamaco, el otro grito.

Achis, achis, ¿qué otro grito?

El del 15
de septiembre.

Ese día por la noche
en derroche de alegría
preguntamos o decimos
dónde vas a dar el grito,
yo te invito a dar el grito,
todo México dio el grito,

qué bonito estuvo el grito.

Y ¿por qué tanta insistencia?

¿Cómo por?
La Independencia.

Ponte atento y te la cuento.

Hace muchos, muchos años
(chorrocientos
por más seña)

hubo aquí
grandes naciones

que vivieron de la greña.

El azteca
era el más fuerte
y a los otros pueblos indios
daba lata o daba muerte.

Pero un día
para siempre
nuestra historia cambiaría...

Los soldados de Cortés,
fieros súbditos de España,
conquistaron a los indios
con cañones y con maña.

Tras la guerra se fundó
la colonia Nueva España.

Y pasaron **muchos**
muchos
muchos
años
de obligada dependencia.

Hasta que hubo unos señores
que se alzaron en Dolores.

¡Muera, abajo el mal gobierno!

O algo así dicen que dijo
en su grito el cabecilla:
Miguel Hidalgo y Costilla.

Ese gallo es mi tocayo.

Doy la fecha de una vez:
fue el 16 de septiembre de 1810.

Empezó una larga lucha
contra España y su gobierno.
Qué de plomo y qué de insultos
se lanzaron los rivales:

Pum, **pum**, pum, ¡tales por cuales!
Pum, pum, pum, ¡cuales por tales!

19

Mas llegó al fin la victoria
de las armas nacionales.

Y en la patria,
de alegría,
se decía

¡Viva México!

Desde entonces ese grito
en septiembre da la gente:
    niños, viejos, pobres, ricos
    y hasta el H. Presidente.

SEPTIEMBRE

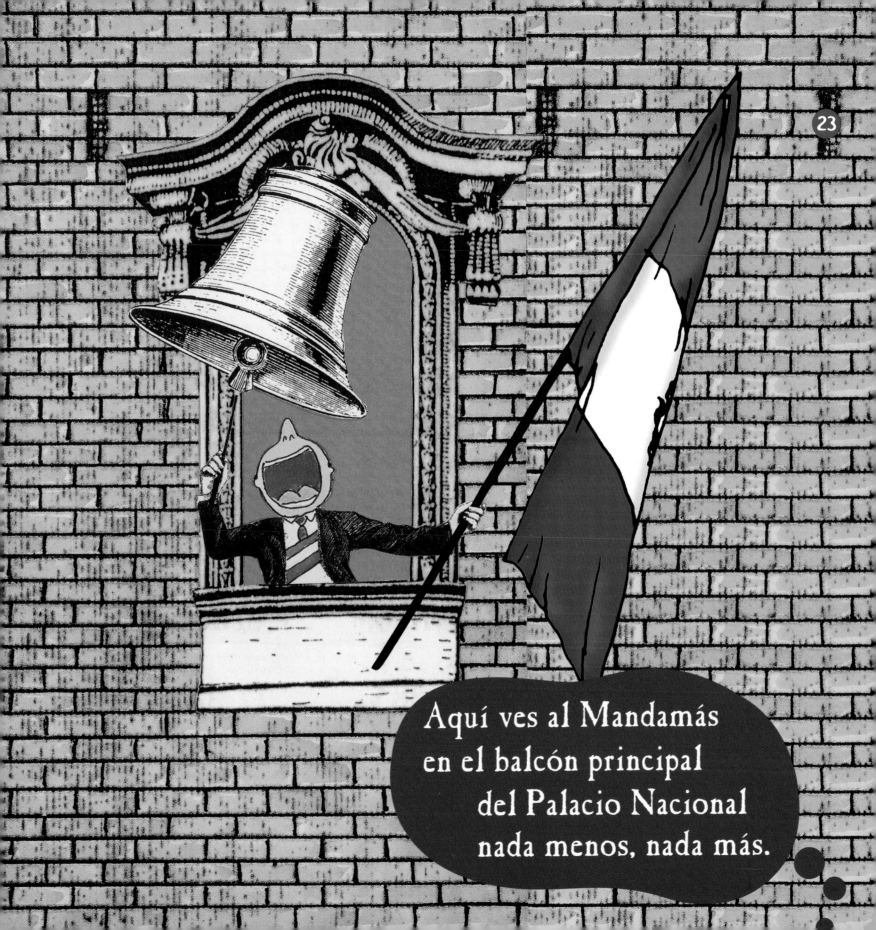

En los zócalos hay fiestas
con mariachis, con orquestas

24

y con puestos muy bien puestos
de manjares como estos:
tacos, sopes, tinga, mole,
aguas frescas y pozole.

Y ahora sí, ¡venga el grito, Miguelito!

D.R. © CIDCLI. S.C.
Av. México 145-601, Col. del Carmen
Coyoacán, C.P. 04100, México, D.F.
www.cidcli.com.mx

CIDCLI

D.R. © Alonso Núñez, 2008
Ilustraciones: José Luis García Valadez
Coordinación editorial: Rocio Miranda
Cuidado de la edición: Elisa Castellanos
Diseño gráfico: Rogelio Rangel

Primera edición, agosto 2009
ISBN: 978-607-7749-04-2